Testun © 1988 Martin Waddell
Lluniau © 1988 Barbara Firth
Testun Cymraeg ©1989 Gwasg y Dref Wen
Adargraffwyd 1998.
Cyhoeddwyd gyntaf yn Saesneg
gan Walker Books Ltd dan y teitl
Can't you sleep, Little Bear?
Cyhoeddwyd yn Gymraeg
gan Wasg y Dref Wen,
28 Ffordd yr Eglwys,
Yr Eglwys Newydd, Caerdydd CF4 2EA.
Ffôn 01222 617860
Argraffwyd yn Hong Kong.

METHU CYSGU WYT TI, ARTH BACH?

Stori gan Martin Waddell
Lluniau gan Barbara Firth

DREF WEN

Unwaith roedd dau arth –

Arth Mawr ac Arth Bach.

Buont yn chwarae gyda'i gilydd trwy'r dydd yn yr heulwen braf. Pan ddaeth y nos, a'r haul yn machlud, aeth Arth Mawr ag Arth Bach adref i'r Ogof.

Rhoddodd Arth Mawr Arth Bach yn ei wely yn rhan dywyll yr Ogof. "Dos i gysgu nawr, Arth Bach," meddai.

Ac fe roddodd Arth Bach gynnig ar gysgu.

Eisteddodd Arth Mawr yn fodlon yn ei Gadair Fawr a dechreuodd ddarllen ei Lyfr Mawr yng ngolau'r tân.

Ond ni allai Arth Bach yn ei fyw â chysgu.

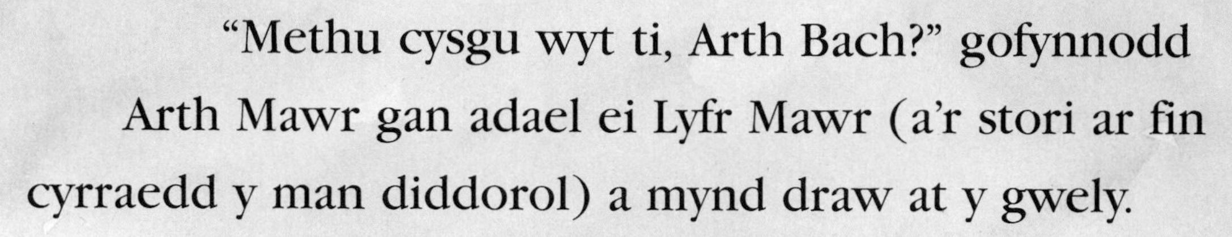

"Methu cysgu wyt ti, Arth Bach?" gofynnodd Arth Mawr gan adael ei Lyfr Mawr (a'r stori ar fin cyrraedd y man diddorol) a mynd draw at y gwely.

"Mae ofn arna i," meddai Arth Bach.

"Ofn beth?" gofynnodd Arth Mawr.

"Y tywyllwch," atebodd Arth Bach.

"Pa dywyllwch?" gofynnodd Arth Mawr.

"Y tywyllwch sy o'n cwmpas," meddai Arth Bach.

Edrychodd Arth Mawr, a gwelodd fod rhan dywyll yr Ogof yn dywyll dros ben. Felly aeth at y Cwpwrdd Lampau, a thynnu allan y lamp leiaf oll.

Cyneuodd Arth Mawr y lamp, a'i rhoi wrth erchwyn y gwely.

"Dyna olau bach iti, Arth Bach," meddai. "Fydd dim ofn arnat ti nawr."

"Diolch, Arth Mawr," meddai Arth Bach, yn gysurus braf yn llewyrch y lamp.

"Dos i gysgu nawr, Arth Bach" meddai Arth Mawr, gan fynd yn ôl i'r Gadair Fawr i ddarllen ei Lyfr Mawr eto yng ngolau'r tân.

Rhoddodd Arth Bach gynnig arall ar gysgu, ond methodd yn lân.

"Methu cysgu wyt ti, Arth Bach?" gofynnodd Arth Mawr gan ddylyfu ei ên. Gadawodd y Llyfr Mawr (er nad oedd ond pedwar tudalen cyn y man diddorol), a mynd draw at y gwely.

"Mae ofn arna i," meddai Arth Bach.

"Ofn beth?" gofynnodd Arth Mawr.

"Y tywyllwch," meddai Arth Bach.

"Pa dywyllwch?" gofynnodd Arth Mawr.

"Y tywyllwch sy o'n cwmpas," meddai Arth Bach.

"Ond fe roddais i lamp iti," meddai Arth Mawr.

"Dim ond yr un leiaf oll, ac mae peth wmbredd o dywyllwch!"

Edrychodd Arth Mawr, a gwelodd fod Arth Bach yn llygad ei le; roedd peth wmbredd o dywyllwch ar ôl. Felly aeth at y Cwpwrdd Lampau i nôl lamp fwy.

Cyneuodd Arth Mawr y lamp a'i dodi yn ymyl y llall.

“Dos i gysgu nawr, Arth Bach,” meddai Arth Mawr, gan fynd yn ôl i’r Gadair Fawr a chodi’r Llyfr Mawr eto, yng ngolau’r tân.

Ceisiodd Arth Bach ei orau glas i gysgu, ond ni allai.

“Methu cysgu wyt ti Arth Bach?” meddai Arth Mawr gan duchan. Gadawodd y Llyfr Mawr (a dim ond tri thudalen i’r man diddorol), a mynd draw at y gwely.

“Mae ofn arna i,” meddai Arth Bach.

“Ofn beth?” gofynnodd Arth Mawr.

“Y tywyllwch,” meddai Arth Bach.

“Pa dywyllwch?” gofynnodd Arth Mawr.

“Y tywyllwch sy o’n cwmpas,” meddai Arth Bach.

“Ond fe roddais i ddwy lamp iti,” meddai Arth Mawr. “Y lamp fach a lamp fwy!”

“Dim llawer yn fwy,” meddai Arth Bach, “ac mae ’na’n dal beth wmbredd o dywyllwch!”

Ar ôl meddwl, aeth Arth Mawr at y Cwpwrdd Lampau a thynnu allan y Lamp Fwyaf Un, oedd â dwy glust a phwt o gadwyn rhyngddynt. Bachodd y lamp wrth y to uwchben gwely Arth Bach.

"Dyma fi wedi dod â'r Lamp Fwyaf Un iti!" meddai Arth Mawr wrth Arth Bach. "Fydd dim eisiau iti fod ag ofn nawr, fydd e?"

"Diolch, Arth Mawr," meddai Arth Bach. Swatiodd yn gysurus dan y golau a gwylio'r cysgodion yn dawnsio.

"Dos i gysgu nawr, Arth Bach," meddai Arth Mawr, gan fynd yn ôl i'r Gadair Fawr a chodi'r Llyfr Mawr eto, yng ngolau'r tân.

Ceisiodd Arth Bach fynd i gysgu
dro ar ôl tro,
ond ni allai.

“Methu cysgu wyt ti, Arth Bach?” ochneidiodd Arth Mawr. Gadawodd y Llyfr Mawr (a dim ond dau dudalen ar ôl) a mynd draw at y gwely.

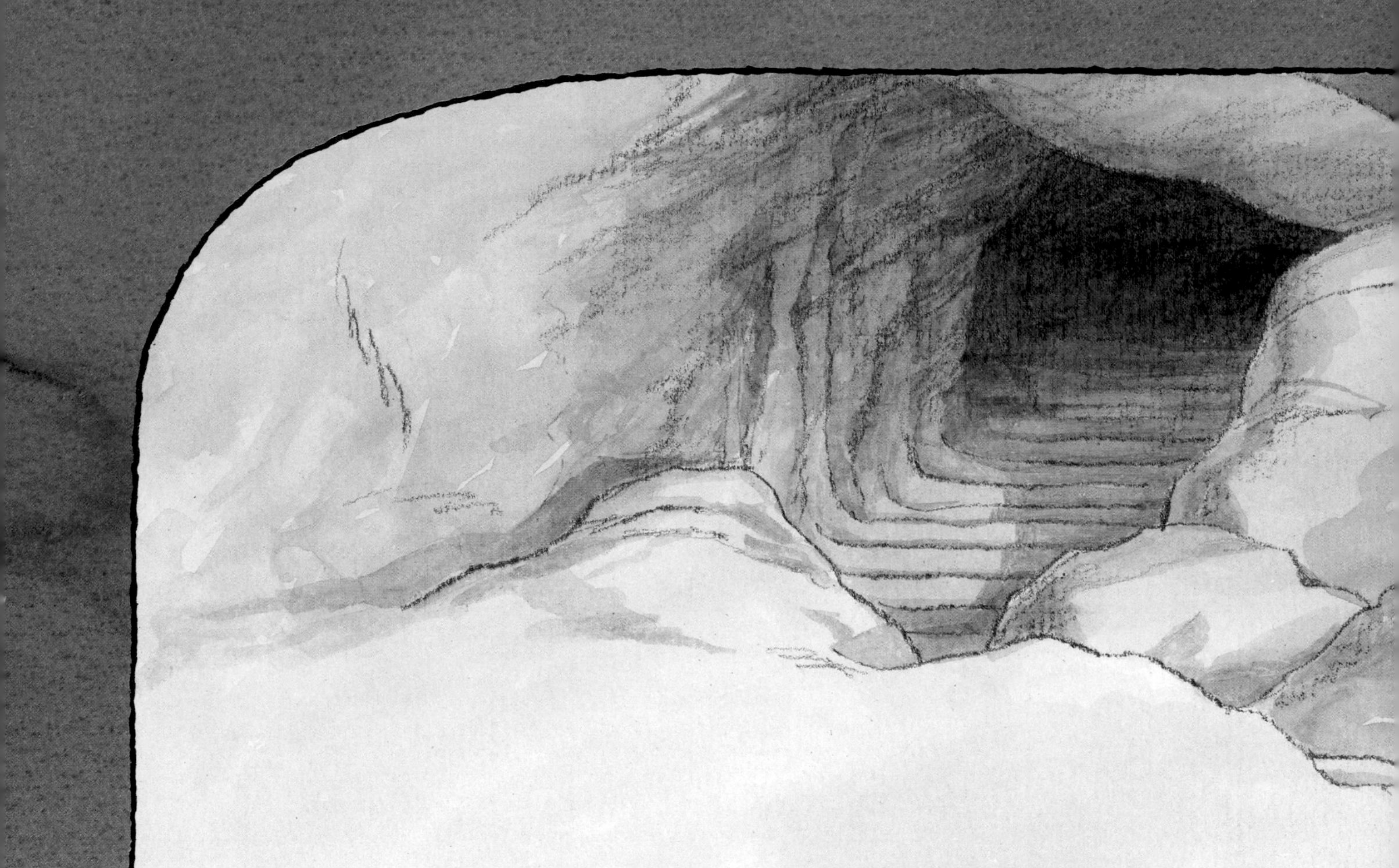

"Mae ofn arna i," meddai Arth Bach.

"Ofn beth?" gofynnodd Arth Mawr.

"Y tywyllwch," atebodd Arth Bach.

"Pa dywyllwch?" gofynnodd Arth Mawr.

"Y tywyllwch sy o'n cwmpas," meddai Arth Bach.

"Ond fe roddais i'r Lamp Fwyaf Un iti," meddai Arth Mawr, "a nawr does dim tywyllwch ar ôl."

"Oes, mae 'na!" meddai Arth Bach. "Ma's fan'na!" A chyfeiriodd â'i fys allan o'r Ogof, tua'r nos.

Gwelodd Arth Mawr fod Arth Bach yn iawn. Roedd Arth Mawr mewn penbleth. Allai holl lampau'r byd ddim goleuo'r tywyllwch y tu allan.

Meddyliodd Arth Mawr am amser maith, yna meddai, "Tyrd gyda fi, Arth Bach."

"I ble?" gofynnodd Arth Bach.

"Allan!" atebodd Arth Mawr.

"Allan i'r tywyllwch?" gofynnodd Arth Bach.

"Ie!" meddai Arth Mawr.

"Ond mae ofn y tywyllwch arna i!"

"Does dim angen bod!" meddai Arth Mawr, gan afael yn llaw Arth Bach a'i arwain allan o'r Ogof i'r nos,

lle'r oedd hi'n . . .

DYWYLL!

"Ow! Mae ofn arna i," meddai Arth Bach,
gan glosio at Arth Mawr.
Cododd Arth Mawr Arth Bach yn ei freichiau,
a'i anwesu, ac yna meddai,
"Edrych ar y tywyllwch, Arth Bach."
Ac edrychodd Arth Bach.

"Rwyf wedi dod â'r lleuad iti, Arth Bach," meddai Arth Mawr. "Y lleuad wen ddisglair a'r holl sêr sy'n pefrio."

Ond ni ddywedodd Arth Bach ddim gair, achos roedd e wedi syrthio i gysgu, yn glyd ac yn gynnes yng nghôl Arth Mawr.

Cludodd Arth Mawr Arth Bach yn ôl i'r Ogof, yn cysgu'n drwm. Yna eisteddodd yn gyfforddus yn y Gadair Fawr esmwyth ger y tân, ac Arth Bach ar un fraich a'r Llyfr Mawr ar y llall.

URSUS

A darllenodd Arth Mawr y Llyfr Mawr
yr holl ffordd i'r . . .

DIWEDD